@ebol

Y fersiwn Saesneg

Look at me! Look at me! gan Rose Williamson

Darluniau gan Doreen Marts

Cedwir pob hawl.

Y fersiwn Cymraeg

Dyma fi! Dyma fi! Addaswyd gan Megan Lewis

Golygwyd gan Adran Olygyddol, Cyngor Llyfrau Cymru

Dyluniwyd gan Owain Hammonds

Cyhoeddwyd yn Gymraeg gan Atebol Cyfyngedig, Adeiladau'r Fagwyr, Llanfihangel Genau'r Glyn, Aberystwyth, Ceredigion SY24 5AQ yn 2014.

www.atebol.com

Hawlfraint y cyhoeddiad Cymraeg © Atebol Cyfyngedig 2014.

Dyma fi! Dyma fi!

Ysgrifennwyd gan
Rose Williamson

Addaswyd gan Megan Lewis

Roedd Cadi Camelion yn byw mewn coeden. Roedd Cadi yn un dda am guddio. Byddai Cadi yn troi'n frown ar gangen frown ac yn wyrdd ar ddeilen werdd.

Cadi Chameleon lived in a tree and was very good at hiding.
Cadi turned brown on a brown branch and green on a green leaf.

Gallai ddal pryfed blasus yn hawdd drwy guddio a newid ei lliw!

It made it very easy to sneak up on yummy bugs!

Ond doedd Cadi ddim am guddio.
Credai Cadi ei bod hi'n gamelion hardd,
ac roedd hi am i'r holl anifeiliaid eraill ei gweld.

Gwaeddodd Cadi ar y brogaod,
'Dyma fi! Dyma fi!'

But Cadi didn't want to hide. She thought she was a very beautiful chameleon indeed and wanted all of the other animals to look at her.

She called out to the tree frogs,
'Look at me! Look at me!'

Ond doedd y brogaod ddim yn
gallu gweld y camelion gwyrdd
ar y ddeilen werdd.

But the tree frogs could not see a green chameleon
on a green leaf.

Gwaeddodd Cadi ar y tri lemwr gerllaw,
'Dyma fi! Dyma fi!'

Ond doedden nhw ddim yn gallu gweld y camelion brown
ar y gangen frown.

There were lemurs on the branch, and Cadi called out to them, 'Look at me! Look at me!'
But the lemurs could not see a brown chameleon on a brown branch.

... yn sydyn, roedd hi wedi troi'n goch!
'Dyma fi! Dyma fi!' gwaeddodd ar y brogaod.
'Rwyt ti'n gamelion hardd iawn!' medden nhw.

... and turned red!
'Look at me! Look at me!' she called to the tree frogs.
'What a beautiful chameleon!' they said.

Aeth Cadi ati i ymarfer newid ei lliw.
Roedd hi'n binc ar y garreg lwyd ...

Cadi practised changing colour all day.
She was pink on a grey stone ...

... ac yn ddu ar y tywod melyn.

... and black on yellow sand.

Roedd hi'n borffor
ar y blodyn oren ...

She was purple on an orange flower ...

... ac yn oren
ar y blodyn porffor.

... and orange on a purple flower.

'Dyma fi! Dyma fi!'
gwaeddodd ar y tri lemwr.
'Rwyt ti'n gamelion hardd iawn!'
medden nhw.

'Look at me! Look at me!' she called to the lemurs.
'What a beautiful chameleon!' they said.

Roedd Cadi yn meddwl mai hi
oedd y camelion harddaf yn y byd i gyd.
Yn fuan, dechreuodd Cadi deimlo'n llwglyd,
ac aeth adref i'w choeden.

Cadi thought she was the most
beautiful chameleon in the whole world.

Soon, she began to feel hungry and went home to her tree.

Dringodd Cadi i ben ei changen frown,
ac aros i bryfyn blasus hedfan heibio.
Arhosodd ac arhosodd.

Gwyliodd ei theulu'n dal y pryfed
gyda'u tafodau hir heb drafferth o gwbl.
Roedd hi'n teimlo'n llwglyd iawn!

Cadi climbed onto her brown
branch and waited for a yummy bug.
She waited and waited.

She watched the other chameleons
catching bugs on their sticky tongues.
She was very hungry!

Yna, gwelodd Cadi haid o bryfed yn hedfan gerllaw.
Ond cyn iddi allu tynnu ei thafod hir allan i'w dal,
roedd y pryfed wedi gweld ei lliwiau hardd,
ac wedi hedfan i ffwrdd!

Then, Cadi saw a group of bugs nearby! But, before
she could stick out her long tongue, they saw her
beautiful colours and flew
away!

'Rwyt ti'n gamelion hardd iawn!'
chwarddodd y pryfed.

'What a beautiful chameleon!'
the laughing bugs called to her.

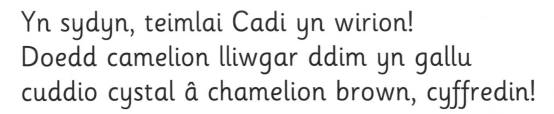

Yn sydyn, teimlai Cadi yn wirion!
Doedd camelion lliwgar ddim yn gallu
cuddio cystal â chamelion brown, cyffredin!

Suddenly, Cadi felt very silly!
A colourful chameleon couldn't hide
like a plain brown chameleon!

Deallodd Cadi fod rhaid iddi fod yn wyrdd neu yn frown er mwyn cuddio a dal pryfed. Felly, dechreuodd ganolbwyntio yn galed, galed iawn, a newidiodd yn ôl i'w lliwiau naturiol!

Cadi knew that to catch bugs, she would need to blend in so she concentrated very, very hard ... and changed colour so that she blended in with her surroundings!

Dysgodd Cadi nad oedd dangos ei hun yn beth da.
Roedd hi'n hapus i fod yn gamelion cyffredin unwaith eto.

Cadi had learnt that it is not good to
show off and was happy being a regular
chameleon again.

Ond weithiau, bob hyn a hyn, bydd Cadi yn canolbwyntio'n galed, galed iawn ac yn troi yn ...

But sometimes, just every once in a while, Cadi concentrates very, very hard and turns ...

... amryliw!

... colourful!

www.atebol.com